Kijk uit voor die grapjas!

Selma Noort
met tekeningen van [illegible]ft

sterre[illegible]

Zwijsen

Spriet heeft een plan

Spriet gooit zijn voetbal neer.
'Mam, ben je thuis?'
Het blijft stil in huis.
Spriet holt de trap op.
Mams bed is strak en net.
Het raam staat op een kier.
Mam is hier ook niet.
Ze is vast naar de markt.
Spriet is vroeg thuis.
Hij had geen zin meer.
Bob deed mee met voetbal.
En Spriet werd kwaad op Bob!
Bob schept altijd zo op!

Spriet zit op mams bed.
'Ha, die Spriet!' zegt hij hardop.
En hij geeft een knipoog.
Spriet is dun en lang.
Daarom heet hij Spriet.
Nou ja, hij héét niet zo.
In het echt heet hij Joost.
Maar dat zegt geen mens.

Spriet kijkt op mams kast.
Er staat een nephoofd.
Op dat hoofd zit een pruik.

Soms zet mam hem op.
Dan doet ze gek.
Die pruik is voor de lol.

Spriet is ook echt een grapjas.
Hij haalt graag een streek uit!
Wat gaat hij nu weer doen?
Spriet de grapjas lacht al zacht.
'Ha ha, Bob,' zegt hij hardop.
'Kijk jij maar uit voor Spriet.
Je weet niet wat je ziet.
Want Spriet ... die wordt een griet!'

Spriet trekt een jurk aan

Spriet kijkt in mams kast.
Hij pakt een jurk.
De jurk is fel rood.
Mam is klein en dun.
Spriet is bijna net zo lang.
Spriet trekt zijn trui en broek uit.
En hij doet de jurk aan.

Spriet schiet in de lach.
Hij maakt een tuitmond.
Hij houdt zijn hoofd lief scheef.
Nu lijkt het net echt!
‘Ha ha, Bob,’ zegt hij hardop.
‘Kijk jij maar uit voor Spriet.
Je weet niet wat je ziet.
Want Spriet ... die wordt een griet!’

Spriet wordt een griet

Spriet is nog niet klaar.
Hij holt de trap weer af.
En hij kijkt in de la.
Hij pakt er een ballon uit.
En hij blaast hem op.
Hij blaast hem niet heel groot.
Nee, net zo groot als moet.
Hopla, een knoop erin.
En nu nog een ballon.

Spriet duwt ze in de jurk.
Ze zitten klem aan de voorkant.
Het lijkt net echt!
O, wat zal Bob straks zeggen!
Spriet komt niet meer bij!
Hij lacht nu al hard.

Spriet holt de trap weer op.
Hij pakt mams stift.
En hij verft zijn mond rood.
'Ha ha, Bob,' zegt hij hardop.
'Kijk jij maar uit voor Spriet.
Je weet niet wat je ziet.
Want Spriet ... is nu een griet!'

Spriet gaat op straat in de jurk

Nu pakt Spriet de pruik.
‘Daar ga ik dan!’ zegt hij.
En hij zet de pruik op.
Spriet schrikt van zichzelf.
Hij lijkt wel echt een griet!
Maar dan doet hij alweer stoer.
Hij maakt zijn stem gek hoog.
‘Zo Spriet’ zegt hij.
‘Wat ben je mooi!’
En nu op naar Bob!

Spriet is klaar voor zijn grap.
Hij moet de straat op.
Met de pruik en de jurk.
Spriet zucht eens diep.
‘Je durft best, Spriet,’ zegt hij.

Spriet loopt door de straat.
Daar komt Joop van de post.
Hij kijkt erg naar Spriet.
Spriet krijgt het er warm van.
Joop loopt recht op hem af.
En dan zegt hij zoiets raars!
Joop zegt: ‘Dag schat.’
En hij loopt langs Spriet heen.

O, wat een grap!
Spriet weet niet wat hij hoort!
Hij maakt zijn stem weer hoog.
'Dag, Joop van de post.'
Joop kijkt om naar Spriet.
Hij lacht nog, maar dan ...
BONK, hij botst op een boom.
De post valt uit zijn tas.
'Au!' roept hij.
En hij grijpt naar zijn neus.

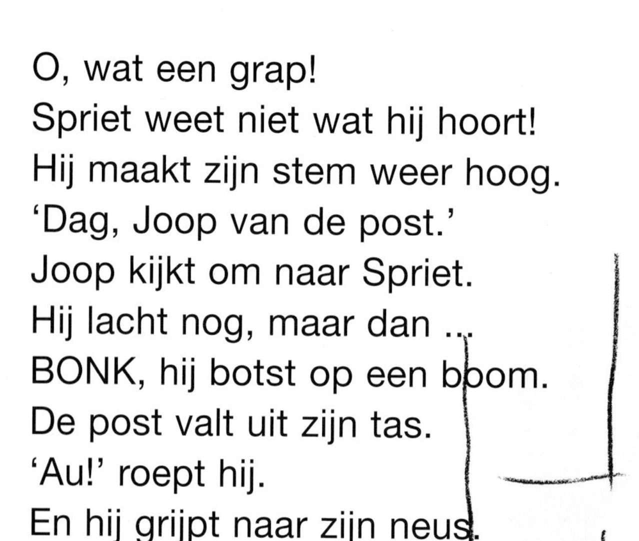

Spriet rent snel de hoek om.
Hij lacht tot hij haast omvalt.
Die Joop toch!
Dat krijg je er nou van!
En nu gauw naar het veld.
Daar is Bob vast nog wel.
'Ha ha, Bob,' zingt Spriet hardop.
'Kijk jij maar uit voor Spriet.
Je weet niet wat je ziet.
Want Spriet ... is nu een griet!'

Kent Bob die griet niet?

Bob is nog op het veld.
Hij trapt net naar de bal.
De bal rolt naar Spriet.
Spriet tilt zijn voet op.
Hij zet hem op de bal.
'Hé, geef de bal eens hier!'
Bob holt tot vlak bij Spriet.
Spriet lacht naar hem.
'Dag, knul,' zegt hij hoog.
'Wat voetbal jij goed, zeg!'
Bobs kop wordt vuurrood.
'Mag ... mag ik de bal?'

‘Nee,’ zegt Spriet.
Harm komt erbij staan.
En Jan en Trees en Bep.
Aart en Peet en Sien.
Spriet houdt zijn hoofd scheef.
Hij kijkt lief naar Bob.
‘Ik wil eerst een kus, schat.
Dat durf jij best wel.
Jij durft vast altijd alles.
Of niet soms?’
Spriet ziet Harm naast Bob staan.

Harm lacht zo.
Ziet Harm dat dit Spriet is?

‘O,’ zegt Harm.
‘Dat durft Bob best, toch?’
Bob stapt weg van Spriet.
‘Nee, dat doe ik niet.
U ... U bent een groot mens.
En ... nou ja, ik nog niet.’

Spriet houdt zich niet goed.
Hij lacht en lacht.
Hij houdt zijn buik vast.
Harm lacht ook.
‘Ha ha, Bob,’ zegt hij.
‘Kijk jij maar uit,
want ik weet het niet ...
Is dit wel een griet?’

Bob snapt er niks van.
‘Kijk eens,’ zegt Harm.
Hij wijst naar de bal.
Bob kijkt omlaag.
Hij ziet een schoen.
Niet de schoen van een vrouw.
Een schoen voor voetbal.
Wat een raar mens.
Een schoen voor een jongen ...
En een jurk voor een meisje?
En wat zei Harm daar nou?

Is dit wel een griet?

Bob rukt de pruik af.
Daar staat Spriet in de jurk.
Hij lacht nog steeds hard.
'O!' roept Bob.
'Wat een rotstreek, man!
Ik schrok me dood.
Ik dacht: wat moet dat mens?
Ze is niet goed snik, zeg!'
Maar dan lacht Bob ook.
Spriet ziet er zo gek uit.
Wat een grapjas is hij toch!

Pas jij maar op, grapjas!

Spriet loopt voorop.
Bob loopt naast hem.
Harm loopt ook mee.
Spriet heeft de pruik weer op.
Mam staat voor de deur.
Ze wil net de gang in.
Ze kijkt om.
En ze schiet in de lach.
'Spriet, je bent gek,' zegt ze.
'Maar dat geeft niks, hoor.
Want ik ben gek op gek!'
Daar komt Joop aan.
Hij brengt de post.
Zijn neus is rood en dik.
Spriet gaat gauw bij mam staan.
'Dag, Joop van de post,' zegt hij.
Hij doet zijn stem weer hoog.
Maar nu ziet Joop het.
Dit is geen griet!
Dit is Spriet.
Joop voelt aan zijn neus.
'Pas jij maar op, grapjas!'
Hij kijkt er boos bij.
Maar Spriet is niet bang.
Mam is toch bij hem.

Bob en Harm gaan naar huis.
Bob roept nog:
'Het was echt een mop, Spriet!'
Spriet loopt de trap op.
Hij zet de pruik weg.
Hij hangt mams jurk weer op.
En hij maakt zijn mond schoon.
Nu ziet hij zichzelf weer.
Zichzelf zoals hij is.
Een knul, dun en lang.
Hij lacht naar zichzelf.
En hij steekt zijn tong uit.
'Grapjas!' zegt hij.

sterretjes bij kern 10 van Veilig leren lezen

na 28 weken leesonderwijs

1. Hee, een fee
Femke Dekker en Jolet Leenhouts

2. Kijk uit voor die grapjas!
Selma Noort en Daniëlle Roothooft

3. Een beer in bad
Geertje Gort en Peter van Harmelen